folio cadet ■ premières lectures

28/02/12

À Lily-Rose

Papi & Mamie

N. +C.

TRADUCTION PASCALE JUSFORGUES
Maquette : Barbara Kekus

ISBN : 978-2-07-063108-7
Titre original : *Eek!: The Haunted Bike*
Publié par Grosset & Dunlap Inc., membre du groupe The Putnam & Grosset, New York
© Gail Herman, 1996, pour le texte
© Blanche Sims, 1996, pour les illustrations
© Gallimard Jeunesse, 1997, pour la traduction française, 2010, pour la présente édition
Numéro d'édition : 172493
Loi n° 49-956 du 16 juillet 1949 sur les publications destinées à la jeunesse
Dépôt légal : février 2010
Imprimé en France par I.M.E.

La bicyclette hantée

Gail Herman • Blanche Sims

GALLIMARD JEUNESSE

Les bicyclettes hantées, ça n'existe pas. Enfin, c'est ce que tout le monde croit. Pourtant, je vais te raconter une histoire. Une histoire qui m'est arrivée il y a très longtemps, quand j'étais petite fille.

Je n'en ai encore jamais parlé à personne. Alors, écoute bien. Ensuite, à toi de voir ce que tu en penses.

Tout a commencé un beau jour.
Ma famille et moi, nous venions de

déménager. J'étais assise sur les marches de la maison. J'étais toute seule et je m'ennuyais. Je regardais les garçons faire du vélo.

L'un d'eux, un certain Jack, est passé devant moi à toute vitesse. Il avait une bicyclette neuve toute brillante.

– Salut, Emma ! m'a-t-il crié. Tu veux essayer mon vélo ?

J'en mourais d'envie mais j'étais assez étonnée. D'habitude, Jack n'était pas si gentil. C'était une grande brute.

– C'est vrai? Tu veux bien me le prêter?

Jack s'est approché de moi en souriant.

– Bien sûr! m'a-t-il répondu. Bien sûr
que non!
Et il a filé à toute allure en riant. Les
autres se sont mis à rire, eux aussi.

2

Je suis rentrée chez moi en claquant la porte. Mon père est arrivé peu après.

– Mon petit chou, j'ai une surprise pour toi, m'a-t-il dit.

Sais-tu ce que c'était ?

Une bicyclette !

Comme mes parents n'étaient pas très riches, ce n'était pas une bicyclette neuve. La peinture était écaillée et le guidon, un peu rouillé.

Mais, pour moi, c'était le plus beau vélo du monde.

– Oh, merci, papa!

Je me suis jetée à son cou.

Je suis sortie avec mon vélo. Je voulais l'essayer tout de suite.

Comme je ne savais pas encore en faire, je pensais que ça allait être très dur. Mais je suis quand même montée dessus.

Et, devine quoi? J'ai réussi du premier coup! D'abord tout doucement, puis de plus en plus vite.

C'était incroyable! Je n'avais rien à faire, comme si la bicyclette avançait toute seule!

Papa m'a fait signe en me voyant passer comme une flèche.
Il avait l'air un peu étonné mais fier de moi. J'ai voulu lui faire coucou à mon tour.
– Attention, Emma ! a-t-il crié.

Trop tard! Je n'avais pas vu l'arbre. Comment faire pour l'éviter? J'ai cru que j'allais rentrer dedans mais la bicyclette a fait un écart au dernier moment. On aurait dit qu'elle se dirigeait toute seule.

En tout cas, jai eu de la chance!

3

Le lendemain, j'ai voulu recommencer.
Maman m'a dit :

    – Tu peux aller te promener mais ne va
pas trop loin.

Je suis remontée en selle et, cette fois encore, cela m'a paru tout simple. Je m'en souviens très bien, j'ai encore eu l'impression que la bicyclette roulait toute seule.
Je n'imaginais pas à quel point c'était vrai!

J'ai commencé à descendre la rue. Arrivée au bout, j'ai voulu tourner à gauche... mais la bicyclette est partie à droite. Bizarre !

Au coin de la rue suivante, j'ai essayé d'aller à droite. Cette fois, la bicyclette a tourné à gauche.

De plus en plus bizarre... On aurait dit qu'elle savait où aller.

« Ne sois pas stupide, me suis-je dit, le guidon doit être tordu, voilà tout. »

À présent, j'étais assez loin de chez moi.
C'était un quartier chic, avec de belles
maisons entourées de grands jardins.

Dans la rue, il n'y avait personne sauf un garçon. Il se tenait devant une grande maison blanche.

Il m'a souri en agitant la main, comme s'il m'attendait. Il portait des vêtements complètement démodés mais il avait l'air gentil. Alors je lui ai souri, moi aussi.

Hiiiiiiiiiiii !

Ma bicyclette s'est arrêtée pile devant la maison blanche. Elle a freiné toute seule !

Je n'y étais absolument pour rien !

– Avant, j'avais la même bicyclette que toi, a dit le garçon. Je faisais des tas d'acrobaties dessus. Si tu veux, je peux te montrer.

– Oui, vas-y, ai-je répondu.
Il a enfourché mon vélo. C'était un vrai
champion !

Il conduisait sans les mains. Il prenait
les virages en dérapant.

Il m'a demandé si je voulais apprendre
à faire pareil.
Bien sûr, quelle question! J'ai essayé à
mon tour et je suis devenue une vraie
championne!
Mais en même temps je me disais:
«C'est impossible, je ne fais pas ça
toute seule. C'est sûrement le vélo qui
m'aide.»

Il était l'heure de rentrer. Maman allait commencer à s'inquiéter. J'ai demandé à mon nouvel ami :

    – Tu veux venir chez moi, demain ?
Aussitôt, il m'a tourné le dos.

– Non, a-t-il répondu, c'est impossible.
Et il est parti en courant.
Je lui ai crié :
 – Attends! Comment tu t'appelles ?
 – Bobby.

– Reviens demain, a-t-il ajouté. Je te montrerai d'autres tours.
Sa voix s'est estompée et il a disparu dans la maison.

5

Le lendemain, je suis retournée voir Bobby. Le jour suivant aussi et le jour d'après également.

Pour trouver la maison, pas de problème : la bicyclette semblait connaître le chemin par cœur.

Chaque fois, Bobby m'attendait.

Quelle joie pour moi d'avoir un ami !

Bobby m'a appris à lever la roue avant et à tourner en rond à toute vitesse.

Mais il ne m'a jamais invitée chez lui.

Et il n'a jamais voulu venir chez moi non plus. Alors je repartais chaque fois de mon côté. Toute seule.

Un jour, Jack m'a arrêtée dans la rue.
Il a montré mon vélo du doigt en rica-
nant :
   – Regardez un peu ce vieux clou !
Une vieille bécane pour une petite
dinde, ah, ah, ah !
Les autres se sont mis à rire, eux aussi.

– Tu es sûre qu'il marche, au moins ? m'a demandé Jack.

Je suis montée sur mon vélo. J'avais un peu peur mais je voulais leur montrer de quoi j'étais capable.

J'ai commencé à pédaler. C'est alors que j'ai entendu quelqu'un murmurer :

– Tu y arriveras, ne t'en fais pas.

On aurait dit la voix de Bobby. En tout cas, cela m'a donné du courage. De toutes les acrobaties, j'ai fait la plus difficile.

Sans les mains, je me suis mise à tourner sur une seule roue.

Jack n'en revenait pas.

– Ça alors ! On peut dire qu'il marche drôlement bien, pas vrai, Jack ? a lancé un des garçons.

Et tout le monde s'est mis à rire... mais à rire de Jack, cette fois !

« En voilà un qui ne m'embêtera plus », me suis-je dit en mon for intérieur.

6

J'avais hâte de raconter ça à Bobby.
Alors je suis partie à toute allure sur
mon vélo.

Je me suis arrêtée devant la maison blanche mais Bobby n'était pas là.
J'ai laissé ma bicyclette à l'entrée et je suis allée frapper à la porte. Cela m'a fait tout drôle. Après tout, Bobby ne m'avait jamais proposé d'entrer.

Une dame est venue m'ouvrir.

– Bonjour. Que veux-tu ? m'a-t-elle demandé.

Puis elle a aperçu le vélo.

– Ma parole ! C'est cette bonne vieille bicyclette !

Elle m'a regardée en souriant.

– Comment as-tu fait pour savoir d'où elle venait ?

J'ai ouvert de grands yeux.

De quoi parlait-elle ?

  – Excusez-moi, madame, je ne comprends pas, lui ai-je dit.

Alors elle a disparu à l'intérieur, puis elle est ressortie avec une vieille photo dans un cadre en argent tarabiscoté.

Sur la photo, on voyait une bicyclette, exactement la même que la mienne. Seulement, elle avait l'air neuve.

À côté, il y avait un petit garçon habillé à la mode d'autrefois.

C'était Bobby !

– Mon père adorait cette bicyclette, m'a expliqué la dame en désignant le garçon sur la photo. Il l'a gardée pendant des années. Après sa mort, je m'en suis débarrassée. Je suis contente de voir que tu t'amuses bien avec.

Je me suis sentie bizarre, tout à coup.
Mon cœur s'est mis à battre très fort,
car je venais de comprendre.

– Est-ce que votre père s'appelait
Bobby ? ai-je demandé à la dame.

– Mais oui ! Comment as-tu deviné ?

Qu'aurais-je pu répondre ? Que cette bicyclette était hantée ? Que son père était un fantôme ? Un gentil fantôme qui m'avait aidée quand j'en avais besoin. Impossible !

Je me suis contentée de sourire. Puis j'ai enfourché mon vélo et je suis repartie.

J'avais le pressentiment que la bicyclette se conduirait normalement
désormais.

Et c'était vrai. Je savais aussi que je
ne reverrais sans doute plus jamais
Bobby.

Et j'avais raison.

Avec le temps, je me suis fait d'autres
amis. Mais le souvenir de Bobby est
resté gravé dans ma mémoire à tout
jamais.

Je n'avais encore jamais parlé de mon ami fantôme à qui que ce soit. Maintenant, tu connais mon secret.